S0-BBQ-259

PORCULUS

Arnold Lobel

Texte français d'Adolphe Chagot

Titre de l'édition originale : Small Pig
(Harper and Row, New York)
Loi n° 49.956 du 16 juillet 1949 sur les publications destinées à la jeunesse : septembre 2003
Dépôt légal : mai 2020
Imprimé en France par Pollina - 93017

ISBN 978-2-211-30777-2

Pour Dreamrose

Porculus est un beau petit cochon,
tout gras et tout rond.
Il vit dans la porcherie de la ferme.

Il aime manger,

il aime aussi courir
à travers la basse-cour

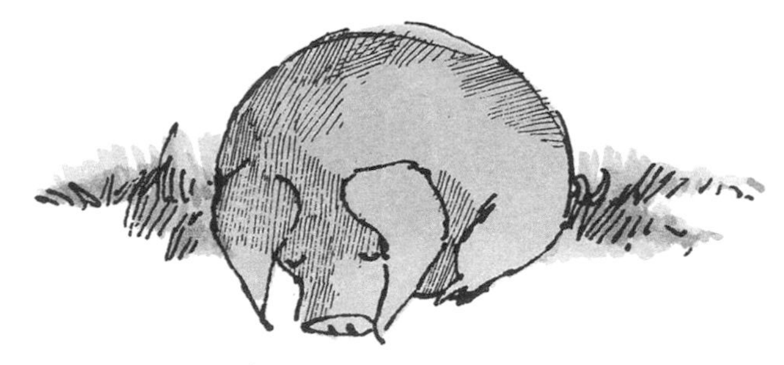

et il aime dormir.

Mais, par-dessus tout,
Porculus aime s'asseoir

et s'enfoncer

dans la bonne boue, si douce !

Le fermier et sa femme
aiment beaucoup Porculus.
« Pour nous, tu es le meilleur
cochon du monde »,
lui disent-ils souvent.

Un beau matin, la fermière dit:
«Aujourd'hui, je vais nettoyer la maison.»

Et elle la nettoie entièrement,
de haut en bas.

La maison est maintenant
toute propre.
Mais le reste de la ferme
est bien sale et a grand besoin
d’être nettoyé aussi.
«Au travail!» dit la fermière.

Elle nettoie la grange,
puis l'écurie

et le poulailler.

Elle arrive alors à la porcherie.
« Ciel ! » s'écrie-t-elle.
« C'est bien l'endroit
le plus sale de tous. »

Elle nettoie donc la porcherie.
Et, pour finir,
savonne à fond Porculus.

« C'est tout de même mieux
comme ça », dit-elle.
« Maintenant, tout est propre
et reluisant. »
Mais Porculus n'est pas content.

« Où est ma bonne boue si douce ? »
demande-t-il.
« Je suis désolé », dit le fermier,
« mais je crois bien qu'elle est partie ! »

Porculus, lui, est plus que désolé :
il est très fâché !
« Cet endroit est trop propre
et reluisant pour moi », dit-il.

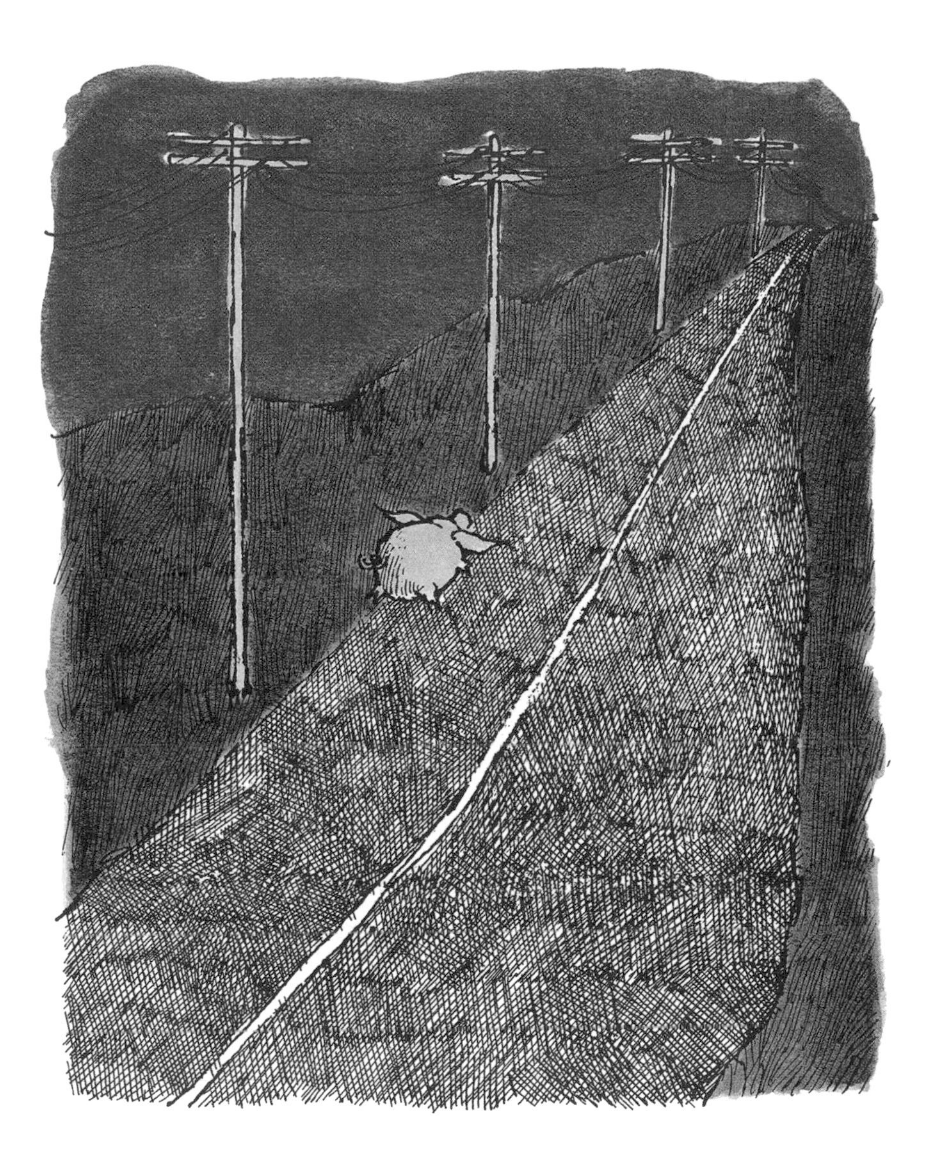

Et, la nuit venue, il s'enfuit.

Il trouve bientôt un marécage.
«Ah, enfin!» s'écrie-t-il,
«voilà de la bonne boue
bien douce.»

Et il s'assoit, puis s'enfonce
dans la boue.
« Que c'est agréable !
Comme on est bien ! » murmure-t-il.
Et, tout doucement, il s'endort.

Mais il ne dort pas longtemps.
Une libellule vient se cogner
à son nez.

Puis une grenouille lui saute
sur la tête.

Et maintenant, c'est une tortue qui lui mord la queue !

«Dis donc, toi, va-t'en de là!»
siffle soudain un gros serpent.
«Tu es ici chez nous.
Et tu n'as rien à y faire!»

Porculus s'empresse de quitter
ce mauvais coin
et se met en route au galop !

Il arrive près d'une décharge.
« Ici, c'est vraiment sale », dit-il.

« Il doit sûrement y avoir par là
de la bonne boue bien douce. »

Et il se met à chercher.
Il découvre des bouteilles cassées,
de vieux postes de télévision ;
il trouve des éviers de cuisine,
des boîtes de conserve vides.
Mais il ne trouve pas de boue.

Il s'installe dans une vieille voiture.
« C'est amusant », dit-il,
« mais pas autant que la boue. »

Il se couche dans un fauteuil.
« C'est bien doux,
mais ça ne vaut pas la boue. »

Il découvre alors quelque chose
qu'il n'aime pas du tout :
un aspirateur !
« C'est pour ça qu'il n'y a pas
de boue ici ! » grogne-t-il.
Et il reprend sa course.

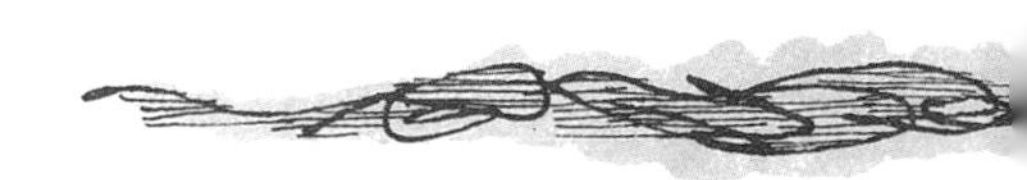

Au bout de la route,
il y a une grande ville.
« Même l'air est sale, ici. »
se réjouit Porculus.
Il doit sûrement y avoir, tout près,
de la bonne boue bien douce. »

Porculus ne tarde pas
à trouver ce qu'il cherche.
«Ah!» dit-il,
«enfin de la boue!»

Alors, il s'assoit et s'enfonce
dans la bonne boue
si douce !

Mais que se passe-t-il ?
« Cette boue est bizarre »,
se dit Porculus.
« Ce n’est pas doux du tout
et, en réalité, ça devient
de plus en plus dur. »

Il essaie de se lever
mais il ne peut pas remuer.

Bientôt, quelques passants
s'arrêtent et s'étonnent.

BOISSONS
FRAÎCHES
10

Puis des gens
de plus en plus nombreux
viennent le regarder.

SODA

D’autres personnes, et d’autres encore,
arrivent et regardent.

Car elles n'ont jamais vu ça :
un porc pris dans un trottoir !

Le fermier et sa femme
passent par là dans leur voiture.
« Regarde donc toute cette foule »,
dit le fermier.
« Descendons, et allons voir
ce qui se passe. »
« D'accord », répond sa femme,
« mais faisons vite.
Il nous faut continuer à chercher
notre cochon. »

Le fermier arrête sa voiture.
« Que se passe-t-il ici ? »
demande-t-il à un passant.
« Oh ! pas grand-chose »,
répond celui-ci.
« Ce n'est qu'un cochon
qui est pris dans le trottoir. »

« Ciel ! »
s'écrie la femme du fermier.
« Mais c'est notre cochon
qui est pris dans ce trottoir ! »
« Appelez la police !
Appelez les pompiers ! »
crie de toutes ses forces le fermier.

Pendant ce temps,
tous les habitants
de la ville
sont venus voir
le petit cochon.
Les agents cherchent
à contenir
l'énorme foule.

Les pompiers apportent
des instruments
pour briser le trottoir.

S'il vous plaît »,
dit la fermière,
« faites bien attention !
Ce cochon
est le meilleur
du monde ! »

Les pompiers travaillent
avec précaution.

Et bientôt,
Porculus est libre.
Il s'élance dans les bras
du fermier et de sa femme.

Tous ensemble, ils retournent
à la maison.

618-A

Au moment même
où ils arrivent à la ferme,
le ciel s'assombrit et un orage éclate.
Il pleut de plus en plus fort.

« Regarde »,
dit le fermier,
« il y a maintenant
une belle flaque de boue
toute neuve dans la porcherie. »
« Ah ! Celle-là, je promets
de ne jamais la nettoyer ! »
assure la fermière.

Alors, Porculus
se précipite dans la porcherie.
Il commence par souper,

puis, il s'assoit…

et, doucement, il s'enfonce…

dans la boue, la bonne boue
si douce, si douce.

FIN

Du même auteur à *l'école des loisirs*

Collection Mouche

Isabelle
Oncle Éléphant
Hulul
Ranelot et Bufolet
Ranelot et Bufolet, une paire d'amis
Sept histoires de souris
La soupe à la souris

Collection Chut !

Sept histoires de souris
lu par Marc Fayet

Ranelot et Bufolet
lu par Michel Kullman et Jean-Marie Ozanne

Hulul
lu par Sandrine Nicolas et Benoît Marchand